PLUTO
URASAWA × TEZUKA

NACH DER GESCHICHTE »ASTRO BOY – DER GRÖSSTE ROBOTER AUF ERDEN«
NAOKI URASAWA × OSAMU TEZUKA

Koautor: TAKASHI NAGASAKI
Supervisor: MACOTO TEZKA
In Kooperation mit Tezuka Productions

Um den Selbstmordversuch von Darius XIV. werden wir uns kümmern.

Es ist genug, Gesicht, kommen Sie zurück.

Dieses Mal werden wir sie direkt angehen. Ich habe die Schnauze gestrichen voll von der Vorgehensweise dieses Präsidenten!

Die Vereinigten Staaten von Thrakien sind einfach zu selbstgerecht.

DANKE...

Dr. Hoffmann macht sich Sorgen um die Integrität Ihres Geroniums, das bei dem Feuerangriff auf Sie beschädigt worden ist.

Unser Hauptproblem momentan aber ist Ihre Gesundheit.

... ABER ICH BIN KURZ DAVOR, DEN FALL ZU LÖSEN.

Was?!

3

Ist das wahr? Dann sind Sie dem Täter auf die Spur gekommen?

Gesicht!!

JA. ICH HABE DA SO EIN... DIE MENSCHEN NENNEN ES WOHL...

...GEFÜHL.

S...So ein Gefühl? Sie als Roboter?

Heh, Gesicht!!

Samarkand, Republik Persien

Akt 40
Der Weise aus
der Wüste

... IST NICHT VON RO-BOTERN GEWEBT WORDEN, SONDERN VON MEN-SCHEN!

KRIEGEN SIE KEINEN SCHRECK, ABER DIESER TEPPICH...

HEY, MISTER, ICH VERKAUFE BILLIG! WERFEN SIE DOCH MAL EINEN BLICK AUF MEINE WAREN!

MAN KANN SIE ALLE NOCH GEBRAU-CHEN!

HEY, MISTER, WIE WÄR'S MIT ELEKT-ROTEILEN, VON DEN SCHLACHT-FELDERN?!

!!

DOMM

DU STEHST IM WEG, HAU AB!

HEY, MISTER!

ALLES IN ORDNUNG?

GASCHANG GASCHANG

KANNST DU AUF-STEHEN? HALT DICH FEST.

SEIT ICH IM KRIEG BESCHÄDIGT WORDEN BIN, IST MEINE BA-LANCE NICHT MEHR SO GUT.

DANKE, MISTER.

NICHTS ZU DAN-KEN.

PASS BESSER AUF DICH AUF.

AH, MISTER ...

ICH VER-STEHE.

TUT MIR LEID, ABER ICH HAB'S EILIG.

WOLLEN SIE NICHT EIN PAAR BLUMEN KAUFEN?

MACH'S GUT.

ABER, MISTER ...

SIE KÖNNEN AUCH MIT KREDITKARTE BE-ZAHLEN. DIE KANN ICH HIER-MIT EINLESEN.

ICH BIN NUR AUF DER DURCHREISE. WAS SOLL ICH MIT BLUMEN?

ICH BIN
GESICHT
VON EU-
ROPOL.

ABER
NEIN... SIE
SIND GANZ
PÜNKTLICH.

ENT-
SCHULDI-
GEN SIE,
DASS ICH
SIE HABE
WARTEN
LASSEN.

UND ICH
BIN ABRAH,
DER LEITER
DES WISSEN-
SCHAFTSMINIS-
TERIUMS DER
REPUBLIK
PERSIEN.

WAS HABEN SIE DENN?

...

ACH, NICHTS ...

ICH BIN WISSEN-SCHAFTLER. MEINETWE-GEN BRAU-CHEN SIE SICH NICHT ZU VER-STELLEN.

ES GIBT IN DIESEM CAFÉ AUCH KATALYTI-SCHE ENER-GIE-DRINKS.

ÄH, EINEN KAFFEE BITTE!

SIE GUCKEN, ALS WÜRDEN SIE MEINEN, DASS EHER ICH EINEN ENERGIE-DRINK VERTRAGEN WÜRDE.

ES IST SCHON IN ORDNUNG.

TATSÄCH-
LICH HABE ICH
IM KRIEG FAST
MEINEN GANZEN
KÖRPER VER-
LOREN.

KEINE
BANGE,
IHR ERKEN-
NUNGSSYS-
TEM FUNKTI-
ONIERT EIN-
WANDFREI.

...

ABER
ICH WOLLTE,
DASS SIE MIT
EIGENEN AU-
GEN SEHEN
...

ICH HABE IHNEN
ZU DANKEN, DASS
SIE DEN WEITEN
WEG GEMACHT
HABEN.

DAS
TUT MIR
LEID.

SCHON
GUT.

... WIE UNSER
LAND DABEI IST,
SICH VOM KRIEG
ZU ERHOLEN.

IST DAS EIN BEKANNTER VON IHNEN?

IN DIESEM LAND, DAS ALLES VERLOREN HAT, GIBT ES INZWISCHEN SOGAR WIEDER BASARE.

...

ICH BIN IHM EBEN NUR KURZ BEGEGNET.

ÄH, NEIN ...

10

WOFÜR WIR JETZT UNBEDINGT SORGEN MÜSSEN, IST, IHNEN EIN BESSERES LEBEN ZU ERMÖGLICHEN.

UNSERE WIRTSCHAFT MAG SICH LANGSAM WIEDER ERHOLEN, ABER DIE WUNDEN DIESER KINDER VOM RANDE DER GESELLSCHAFT VERHEILEN NICHT.

SOLCHE KINDER KÖNNEN EINEM WIRKLICH LEIDTUN.

JA...

SIE VERSTEHEN DAS DOCH?

WIE STEHEN SIE ZU DARIUS XIV.?

UND? WAS MÖCHTEN SIE VON MIR WISSEN?

SIE SCHEINEN NICHT VIEL ZEIT ZU HABEN. DESHALB FRAGE ICH SIE GERADEHERAUS...

ER HAT IMMER GESAGT, IRGENDWANN WÜRDE ER AUS DIESER WÜSTE GRÜNES LAND MACHEN.

SEINEN LOYALEN UNTERTANEN GEGENÜBER WAR ER EIN SEHR GÜTIGER MANN.

WIR HATTEN EIN AUSGEZEICHNETES VERHÄLTNIS.

... EINE »BLUMENWIESE«?

ETWA...

JA!

KENNEN SIE EINEN MANN NAMENS GOJI?

...

NIE VON IHM GE-HÖRT.

NUR EIN GE-RÜCHT, ODER?

PERSIEN VERFÜGTE ZU DARIUS' ZEITEN DOCH NUR DANK DES GENIALEN WISSENSCHAFTLERS GOJI ÜBER EINE SO HOCH ENT-WICKELTE ROBOTER-ARMEE.

ICH KANN MIR NICHT VOR-STELLEN, DASS SIE ALS LEITER DES WISSEN-SCHAFTSMINIS-TERIUMS DIESEN NAMEN NICHT KENNEN.

DENN SCHLIESS- LICH KENNE SELBST ICH IHN NICHT.

DAS HEISST ABER NOCH LANGE NICHT, DASS ES DIESEN MANN AUCH WIRK- LICH GIBT.

SICHER, IM BERICHT DER BORA- KOMMISSION TAUCHT DIESER NAME AUF.

DA WIR SCHON VON GERÜCHTEN REDEN, WILL ICH IHNEN ETWAS VER- RATEN, DAS MIR ZU OHREN GEKOMMEN IST...

WAS KÖNNEN SIE MIR ÜBER DEN TENMA-CHIP ERZÄHLEN, DER NACH PERSIEN EINGEFÜHRT WURDE?

JA, ALLER- DINGS ...

DIE HÖCHST ENT- WICKELTE KI?

DR. TENMA SOLL ZUSAMMEN MIT DIESEM GENIALEN WISSENSCHAFTLER DIE HÖCHST ENT- WICKELTE KÜNSTLI- CHE INTELLIGENZ ERSCHAFFEN HABEN.

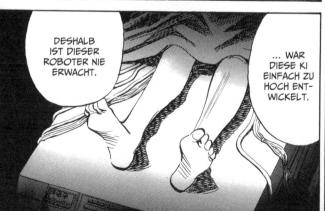

DESHALB IST DIESER ROBOTER NIE ERWACHT.

... WAR DIESE KI EINFACH ZU HOCH ENT- WICKELT.

ES HEISST, ER SCHLAFE NOCH IMMER UNTER DARIUS' PALAST.

OH, ENT-SCHULDIGEN SIE, ABER ICH MUSS LANG-SAM...

DANKE, DASS SIE SICH DIE ZEIT GE-NOMMEN HABEN.

WIE WÄR'S? WOLLEN SIE NICHT NACH DIESER NUTZ-LOSEN PUPPE SUCHEN?

...

SEHEN SIE SICH BITTE DIESE PROJEK-TION AN.

BZZZ

EINE ALLER-LETZTE FRAGE ...

16

NICHT DASS ICH WÜSSTE.

UND ENT-SCHULDIGEN SIE NOCH EINMAL, DASS ICH MIR NICHT SICHER WAR, OB SIE EIN MENSCH SIND ODER EIN ROBOTER.

ICH VERSTEHE. VIELEN DANK FÜR IHRE HILFE.

ICH HOFFE, DASS SIE DEN FALL LÖSEN KÖNNEN.

ALS ICH ATOM BE-GEGNET BIN...

SCHON GUT.

SO ETWAS IST MIR SCHON EINMAL PAS-SIERT.

18

GERADE EBEN HABE ICH SIE ÜBRIGENS ENDLICH ALS MENSCHEN IDENTIFIZIEREN KÖNNEN.

KEIN WUNDER. ATOM WAR EBEN EIN ROBOTER HÖCHSTEN NIVEAUS.

JA, DAS WAR ER.

DENN SIE HABEN GE-LOGEN...

MEIN SYSTEM HAT DAS ALS LÜGE EINGESTUFT.

SIE HABEN GESAGT, SIE WÜRDEN DEN MANN AUF DER BLUMEN-WIESE NICHT KENNEN.

UND ROBOTER LÜGEN SCHLIESS- LICH NICHT.

18

MISTER, KAUFEN SIE BITTE EINE BLUME.

WENN DU DICH MIT KUNDEN WIE MIR ABGIBST, WIRST DU NOCH ÄRGER MIT DEINEM BOSS BE- KOMMEN.

KAUFEN SIE BITTE ZUMINDEST EINE, JA?

DU BIST JA IMMER NOCH DA.

WANN IMMER SIE IM LEBEN ZWEIFELN, HAT ER DIE RICH- TIGE ANTWORT FÜR SIE.

HEY, MISTER, WOLLEN SIE NICHT EINEN TALISMAN KAUFEN?

19

VON GOJI?

!!

ES IST EIN TALISMAN VON GOJI, DEM WEISEN AUS DER WÜSTE.

KAUFEN SIE DOCH BITTE WENIGSTENS EINE.

MU-HAMMAD ALI.

WIE HEISST DU?

VIELEN DANK!

GUT, ABER NUR EINE.

ICH MÖCHTE EIN GELEHRTER WERDEN.

GLAUBEN SIE, ICH KANN SO BEDEUTEND WERDEN WIE MEIN NAME?

DAS IST EIN BEEINDRUCKENDER NAME.

GANZ BESTIMMT.

SAHAD?

ABER, MISTER, SIE HABEN DOCH GERADE SEIN FOTO GEZEIGT.

KANN ICH WERDEN WIE SAHAD?

DAS KANNST DU, WENN DU FLEISSIG LERNST.

...?

JA, DAS IST ER.

MEINST DU DIESEN MANN HIER?!

... UM AUS UNSEREM LAND EIN LAND VOLLER BLUMEN ZU MACHEN.

ER IST ZUM STUDIEREN NACH HOLLAND GEGANGEN...

WAS IST DENN?

OB ICH WOHL AUCH SO WERDEN KANN WIE SAHAD?

ICH VEREHRE IHN.

ACH... NICHTS ...

GIB DEINE TRÄUME NIE AUF.

DU KANNST BESTIMMT WERDEN WIE ER.

WERDEN WIR UNS WIEDER-SEHEN, MISTER?

MEINE TRÄU-ME...?

RICHTIG, DEINE TRÄUME.

JA...

24

WIR SEHEN UNS BESTIMMT WIEDER.

Die Niederlande

Altstadt von Amsterdam

JA...

DAS IST
SAHAD.

DEN
MANN AUF
DEM BILD
KENNE ICH
GUT.

ER HAT BEI
MIR ZUR UNTER-
MIETE GEWOHNT.
IN DEM ZIMMER
DA IM ZWEITEN
STOCK.

SAHAD HAT SIE GE-PFLANZT.

SEHEN SIE ALL DIE SCHÖNEN BLU-MEN VOR DEN FENSTERN?

WISSEN SIE, SAHAD HAT GARTENBAU STUDIERT.

SOGAR NACH ALL DIESEN JAH-REN BLÜHEN SIE IMMER NOCH SO SCHÖN.

AH, DAS BE-GREIFEN SO-GAR SIE ALS ROBOTER, NICHT?

JA, DIE SIND WIRKLICH SCHÖN.

UND DAMIT HAT ER WOHL RECHT ...

ER SAGTE, SOBALD DIE BLUMEN SA-MEN TRAGEN, MÜSSEN SIE WELKEN UND STERBEN.

... UND LEICHT ZU PFLEGEN SIND.

ICH HABE IHN EINMAL NACH BLUMEN GEFRAGT, DIE DAS GANZE JAHR LANG BLÜHEN...

UND WAS HAT ER GEANT-WORTET?

... WELKEN UND STER-BEN?

BLUMEN MÜSSEN...

Akt 41
Sahad

ALL MEINE DATEN VON DAMALS SIND AUF MEINEM ALTEN COMPUTER. UND DER IST BESTIMMT IRGENDWO AUF DEM SPEICHER.

ÄH, HABEN SIE ZUFÄLLIG EIN FOTO VON SAHAD?

HM, ICH GLAUBE SCHON...

... INTERESSIERT SICH JEMAND VON EUROPOL FÜR SAHAD? HAT ER ETWAS ANGESTELLT?

ABER SAGEN SIE, WARUM...

ICH WÄRE IHNEN SEHR DANKBAR.

ICH WERDE EINMAL NACHSEHEN. KOMMEN SIE DOCH SPÄTER WIEDER.

MAN HÄTTE NICHT VERMUTET, DASS ER EIN ROBOTER WAR.

ER WAR EIN WAHRER GENTLEMAN.

NATÜRLICH NICHT! EIN SO GUTER MENSCH WIE SAHAD KANN UNMÖGLICH IN SCHWIERIGKEITEN STECKEN.

NEIN...

Universität Amsterdam

ER WAR MIT LEIDEN-SCHAFT BEI DER SACHE.

NEIN, AUSGE-ZEICHNET TRIFFT ES NICHT GANZ.

SO, ALS WÜRDE ES UM SEIN LEBEN GEHEN.

SAHAD WAR EIN AUSGE-ZEICHNETER STUDENT!

UND ER WAR DAZU ENTSCHLOSSEN, DIE WÜSTE PERSIENS ERBLÜHEN ZU LASSEN.

SAHAD HAT SEINE HEIMAT GELIEBT.

JA, RICHTIG.

UM SEIN LEBEN?

ICH ERINNERE MICH, WIE ER EINES TAGES ZU MIR SAGTE...

SEINE FORSCHUNG WAR WIRKLICH INNOVATIV.

IGOR?

UND DANN WIEDER ERHOLTE SICH ISHTAR.

JA, EIN ANDERES MAL WURDE JANUS KRANK.

»PROFESSOR, SEHEN SIE, WIE STARK IGOR GEWORDEN IST.«

DAS SIND DIE NAMEN DER TULPEN.

?

... WUCHSEN SIE DADURCH SCHNELLER.

SEINER AUSSAGE NACH...

...

SAHAD HATTE ALLEN SEINEN TULPEN NAMEN GEGEBEN.

ABER AUSGERECHNET ER SAGTE MANCHMAL SO UNWISSENSCHAFTLICHES ZEUG.

ER WAR EIN ROBOTER, SOGAR DER WISSENSCHAFTLICH FORTSCHRITTLICHSTE ROBOTER PERSIENS.

ICH WILL ES EINMAL SO SAGEN, INSPEKTOR ...

...

UNWISSENSCHAFTLICH? INTERESSANT...

ICH WILL IHNEN ETWAS ZEIGEN.

ER BE-HAUPTETE DINGE, FÜR DIE ES KEINERLEI BEWEISE GAB.

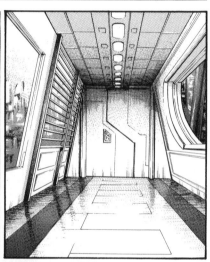

HIER...

JA...

DAS IST EINE TULPE, NICHT?

SIE BLÜHT UNUNTER-BROCHEN, OHNE ZU VERWELKEN... SEIT ER UNS VERLAS-SEN HAT.

DIESE TULPE HAT SAHAD GE-ZOGEN.

DREI JAHRE!

ABER DAS IST LANGE HER...

FALLS ER NICHT ZURÜCKKOMMEN SOLLTE, WERDEN WIR DIESE BLUME WOHL ERFOR-SCHEN MÜSSEN.

...

ZUM ABSCHIED HAT ER MICH GEBETEN, SIE KEINESFALLS IN DEN BODEN ZU PFLANZEN, BIS ER WIEDER HIER WÄRE.

MEIN GOTT... JETZT FANGE ICH AUCH SCHON AN UNWISSEN- SCHAFTLICH ZU WERDEN.

ICH HABE SO EIN GEFÜHL, DASS AUCH DIESE TULPE AUF SAHAD WARTET.

JA, BE- STIMMT...

HAT DIESE TULPE AUCH EINEN NAMEN?

ICH BIN SICHER, SAHAD HAT IHR EINEN GEGEBEN.

VIELEN DANK FÜR IHREN EIN-KAUF, MEINE DAME...

IST GUT.

ANTON, LIEFERST DU DIE BITTE IM LADEN VON VAN DYCK AB?

EIN FLEIS-SIGES KERL-CHEN, NICHT?

ICH WÜSSTE NICHT, WAS ICH OHNE IHN TUN WÜRDE.

PERSIEN? DA KOMMT SAHAD DOCH HER, NICHT?

BEVOR ICH HERGE-KOMMEN BIN, BIN ICH IN PERSIEN EINEM KLEI-NEN BLUMEN-VERKÄUFER BEGEGNET.

ABER DER HATTE LÄNGST NICHT SO VIEL SPASS AN SEINER ARBEIT.

IN SEINER FREIEN ZEIT HAT ER MIR OFT IM LADEN GEHOLFEN.

ER SOLL HÄUFIG IN IHREM GE-SCHÄFT GEWESEN SEIN.

JA, JEDEN TAG.

SEINE TRÄUME WAREN ANSTECKEND. ER ALS ROBOTER KONNTE MICH ALS MENSCHEN FRÖH-LICH UND HOFF-NUNGSFROH STIMMEN.

ER SAGTE, ER WOLLE AUS SEINER HEIMAT EIN LAND VOL-LER BLUMEN MACHEN.

ABER MIT MIR HAT ER ÜBER ALLE MÖGLICHEN DINGE GE-SPROCHEN.

AN-SCHEINEND HATTE ER NICHT VIELE FREUNDE.

... EINES TAGES WAR ER DANN AN- DERS ALS SONST.

ABER ...

ER SAGTE, DASS ER UN- ERWARTET IN SEINE HEIMAT ZURÜCK- KEHREN MÜSSE.

JEMAND WIE ER DURFTE EINFACH NICHT SOLDAT WERDEN, EGAL WIE LANGE SICH DIESER KRIEG AUCH HINZOG.

ICH HABE VERSUCHT, IHN DAVON ABZUBRIN- GEN...

ER WOLLTE SICH FREI- WILLIG ZUM MILITÄR MELDEN.

DA ER- ZÄHLTE ER MIR DANN...

... DASS SEIN VATER IM KRIEG GE-STORBEN SEI.

DARAUF KONNTE ICH IHM NICHTS ERWIDERN.

SEIN VATER?

WIE WEM?

... ER-GEHEN WIE...«

ICH ER-INNERE MICH, WIE TRAURIG ER SAGTE...

»WAHR-SCHEINLICH WIRD ES MIR...

SAHAD FÜHRTE AUF EINEM VERSUCHS-FELD IN ZAANDAM, DAS DEM KÖNIG-REICH PERSIEN GEHÖRTE, ANBAU-TESTS DURCH.

DASS ER SEINEN TULPEN NAMEN GAB, HABE ICH SCHON GE-HÖRT.

ES WAR DER NAME EINER TULPE, ABER WIE WAR ER GLEICH NOCH MAL?

DORT PFLANZTE ER VIELE SEINER TULPEN.

DANN, EINES TAGES, ALS ER WIE GE-WÖHNLICH NACH DEN BLUMEN SAH...

SST

ER WAR DA-ZU BESTIMMT, EINE PFLANZE ZU ENTWICKELN, DIE AUCH IN DER WÜSTE GEDEIHEN WÜRDE.

ER MACHTE SIE STÄRKER... UND IMMER STÄRKER.

... WAR ER FASSUNGS-LOS.

EINE EINZIGE TULPE...

... HAT-
TE ALLE
ANDEREN
VERWELKEN
LASSEN.

ICH ER-
INNERE MICH
WIEDER... DER
NAME DIESER
BLUME WAR...

... PLUTO.

BITTE SEHR, ICH HABE ES GEFUNDEN...

DAS FOTO VON SAHAD.

JA, SIE HABEN RECHT.

SO, GLAUBE ICH.

ÄHM... WIE GING DAS GLEICH NOCH ZU BE- DIENEN?

HABEN SIE VIELEN DANK FÜR DIE MÜHE.

BZZ

ER HAT ES MIR GEMAILT, ALS ER SICH UM DAS ZIMMER BEWORBEN HAT.

AH, DA IST ES JA.

JA, JA, NEBEN IHM IST NOCH JEMAND.

DAS FOTO IST BESCHNITTEN, NICHT?

HAT ER NICHT EIN SYMPATHISCHES LÄCHELN?

SEINEM VATER?

WWIIN

WWIIN

WWIIN

WENN ICH MICH RICHTIG ERINNERE, IST DAS EIN FOTO VON IHM UND SEINEM VATER.

ABER
DAS IST
JA...

WEIL ER EIN
ROBOTER IST,
BEDEUTET VATER
WOHL, DASS DIE-
SER MANN SAHAD
ERSCHAFFEN HAT,
ODER?

... DR.
ABRAH!!

... SOLL DOCH TOT SEIN?

ABER SAHADS VATER...

GESICHT KOMMT DER SACHE...

... NÄHER UND NÄHER.

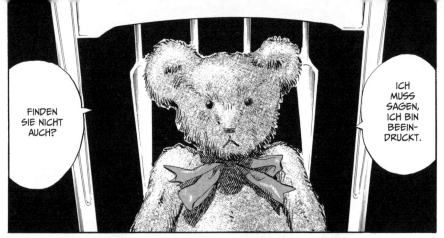

FINDEN SIE NICHT AUCH?

ICH MUSS SAGEN, ICH BIN BEEINDRUCKT.

AUCH SEIN PFLICHTGE-FÜHL UND SEINE WAFFENTECH-NIK... UND NA-TÜRLICH DAS GERONIUM.

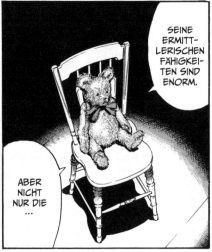

SEINE ERMITT-LERISCHEN FÄHIGKEI-TEN SIND ENORM.

KURZUM ...

ABER NICHT NUR DIE ...

NOCH NIE HAT ES EINE MASSEN-VERNICHTUNGSWAFFE GEGEBEN, DIE SO STARK WAR WIE GESICHT.

ERNST-
HAFT.

GEGEN
IHN WIRD VIEL-
LEICHT SOGAR
PLUTO VER-
LIEREN.

... EINE EIN-
ZIGE MÖG-
LICHKEIT,
IHN UMZU-
BRINGEN.

ABER
ES GIBT
...

UND
ZWAR...

SOLL ICH
ES IHNEN
VERRATEN?

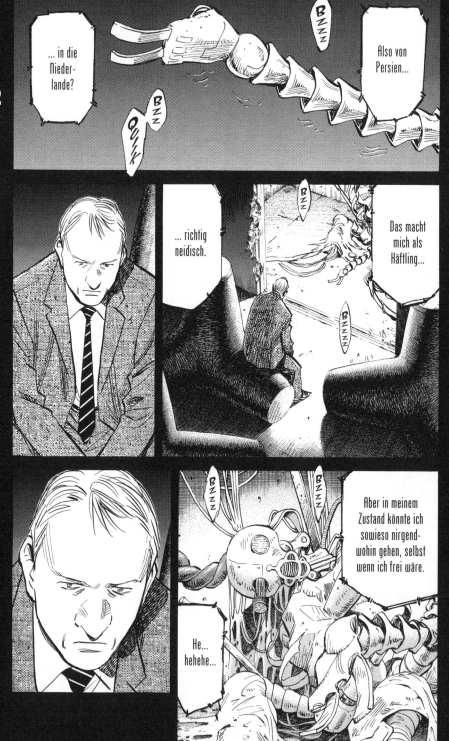

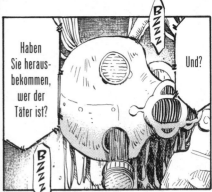
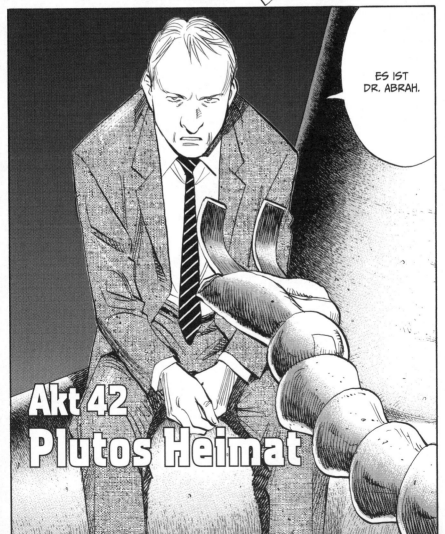

Australien

DR. RONALD NEWTON-HOWARD WAR...

... WAHRLICH EIN GROSSER WISSENSCHAFTLER.

DIE VON IHM NUTZBAR GEMACHTE PHOTONENENERGIE WIRD UNSERE ZUKUNFT ERHELLEN WIE DAS LICHT GOTTES...

SIE MÜSSEN EPSILON SEIN...

SCHADE, DASS WIR UNS UNTER SOLCHEN UMSTÄNDEN BEGEGNEN.

MEIN NAME IST ABRAH.

54

ICH WÄRE DR. NEWTON-HOWARD GERN ZU LEBZEITEN BEGEGNET.

JA... ES IST WIRKLICH BEDAUERLICH...

SIE SIND EXTRA AUS PERSIEN ZUR BEERDIGUNG GEKOMMEN?

WIR HÄTTEN ÜBER SO VIELES SPRECHEN KÖNNEN.

MIT DER ENTWICKLUNG DER PHOTONENENERGIE HAT ER GESCHICHTE GESCHRIEBEN.

... ES VERDIENT, AUF SO EINE WEISE UMGEBRACHT ZU WERDEN?

WOMIT HAT EIN MENSCH WIE ER, DER ALS MITGLIED DER BORA-KOMMISSION DIE DIKTATUR IM KÖNIGREICH PERSIEN BEENDET UND DEM LAND FRIEDEN GEBRACHT HAT...

ICH BIN BEEINDUCKT VON IHRER VOLLKOM-MENHEIT, EPSILON.

SIE SIND SEIN GE-SCHENK AN DIE WELT ...

!!

UND ICH VON DER IHREN, DR. ABRAH.

... DASS SIE IM KRIEG FAST IHREN GANZEN KÖRPER VER-LOREN HABEN.

6

AH, ICH ENT-SCHULDIGE MICH. ICH HABE DAVON GEHÖRT...

... VERGLICHEN DAMIT, DASS ICH MEINE FAMILIE VERLOREN HABE.

DAS IST NICHT SO SCHLIMM...

Abrah also?

Ich verstehe...

Aber Sie sind doch nicht nur hier, um mir das zu erzählen?

BZZZ

Diesen Schluss zu ziehen, ohne dafür Beweise zu haben, ist typisch für Sie. Aber das mag ich ja an Ihnen, hehehe.

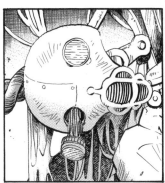

NEHMEN WIR AN, ES GÄBE DIE VOLLKOM-MENE KÜNSTLICHE INTELLIGENZ.

WAS WÜRDE AUS IHM WERDEN?

UND NEHMEN WIR WEITERHIN AN, ES GÄBE EINEN ROBOTER, DEM DIESE HÖCHST ENTWICKELTE KI EINGESETZT WORDEN IST.

Weil er sich nicht ent-scheiden könnte, wer er sein will.

WARUM?

BNNNN

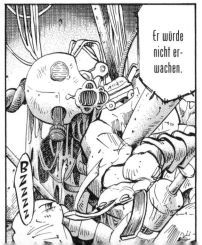

Er würde nicht er-wachen.

BNNNN

ABER WIE KÖNNTE MAN IHN AUFWECKEN?

Deshalb würde er nicht erwachen.

Weil er unendlich viel Zeit bräuchte, alle sechs Milliarden Persönlichkeiten, die es auf dieser Welt gibt, zu simulieren.

Für Sie auch, nicht wahr? Hehehe...

Für mich ist das offensichtlich.

Ja...

Mit Gefühlen...

Indem man ihn mit extremen Empfindungen impft.

MIT EXTREMEN EMPFINDUN-GEN?

...

HASS...

Richtig
...

ZORN?

TRAUER?

Genau...

60

Tun Sie das, und er wird erwachen.

Exakt.

Hehe-he...

Aber als was für eine Art Roboter würde er erwachen?

DIE WOLKEN SEHEN AUS, ALS WÜRDE ES JEDEN MOMENT REGNEN.

JA...

NIMMT IHRE KRAFT BEI EINER WITTERUNG WIE DIESER AB?

SCHLIESS-LICH HABEN SIE IM LETZTEN KRIEG AUCH DEN KRIEGS-DIENST VER-WEIGERT.

ABER SO EINE GEWALTIGE KRAFT BRAUCHEN SIE JA AUCH NICHT.

IHRE FAMILIE IST IN DIE-SEM KRIEG GESTOR-BEN, NICHT WAHR?

UND DAMIT HATTEN SIE RECHT. ES GIBT KEINE GERECHTEN KRIEGE.

DER KRIEG HAT MIR ALLES GENOMMEN.

JA, MEINE FRAU UND MEINE KINDER.

FSSSH

SIE...
WEINEN
...

ES
FÄNGT AN
ZU REGNEN.

PLTS

PLTS

DIE TRAUER-
FEIER SCHEINT
AUCH VORBEI
ZU SEIN.

SAGEN SIE,
EPSILON, WAS
BEDEUTET IHNEN
AM MEISTEN?

ES IST KALT!!

KYAH! ES REGNET!!

EPSILON!!

DAHINTEN WAR EIN EICHHÖRNCHEN!!

DANKE FÜR EURE GEDULD. ABER DAS BEGRÄBNIS IST VORBEI, WIR KÖNNEN JETZT NACH HAUSE!

DASS SIE KRIEGSWAISEN BEI SICH AUFGENOMMEN HABEN, HATTE ICH ZWAR SCHON GEHÖRT...

WIE SCHÖN...

DIE SCHENKEN WIR DIR, EPSILON!!

WIR HABEN EICHELN GESAMMELT!!

KÜMMERN SIE SICH BITTE GUT UM DIESE KINDER.

GRABB

... DAS ICH MEINEN NICHT MEHR GEBEN KANN.

UND GEBEN SIE IHNEN DAS AN LIEBE...

GEHEN SIE SCHON?

... WERDE ICH ROBOTER ERSCHAFFEN MÜSSEN, DIE SO GROSSARTIG SIND WIE SIE.

ICH MUSS AN DER EUROPÄISCHEN KONFERENZ FÜR ROBOTIK TEILNEHMEN.

DENN FÜR DEN WIEDERAUFBAU PERSIENS ...

WO IST WASSILY EIGENTLICH?

WASSILY!

KOMM, WASSILY. WIR WOLLEN GEHEN.

WASSILY!

WASSILY!

AH, DA IST ER!

BORA
...

WAS HAST DU DENN?

ES IST ALLES IN ORDNUNG. WIR SIND HIER NICHT IM KRIEG...

BORA
...

BORA
...

DU BRAUCHST KEINE ANGST ZU HABEN.

WAS?

Er würde lügen.

Er würde jeden belügen, natürlich.

Wenn dieser Roboter erwachen würde, würde er lügen.

QUEEEE

BNN

...

Sich selbst allerdings auch.

BNNNN

BNN

BNNN

WAS GLAUBEN SIE, WO ER GERADE STECKT?

ABER WAS IST MIT PLUTO?

Sie stehen kurz vor der Lösung des Falls.

Also wird er wohl in seiner Heimat sein...

Da er im Kampf gegen Herakles stark beschädigt wurde, wird er wahrscheinlich gerade überholt.

IN SAHADS HEIMAT? IN PERSIEN?

IN SEINER HEIMAT?

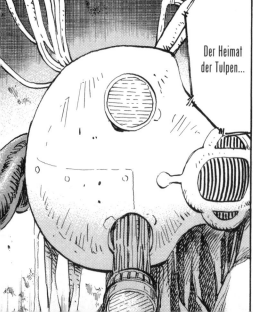

Der Heimat der Tulpen...

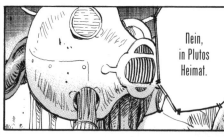

Nein, in Plutos Heimat.

!!

Sie wollen wissen, wo Abrah sich aufhält?!

Reden Sie keinen Unsinn, Gesicht! Abrah ist viel zu einflussreich.

JA! SIE MÜSSEN IHN SO SCHNELL WIE MÖGLICH FESTNEHMEN!

DANN FINDEN SIE ZUMINDEST HERAUS, WO ER IST!

Zu Pluto?
Und wohin?

Und was
haben Sie
jetzt vor?

IN DEN
NIEDERLANDEN
GIBT ES EINE
LANDWIRT-
SCHAFTLICHE
FORSCHUNGSEIN-
RICHTUNG,
DIE DEM KÖNIG-
REICH PERSIEN
GEHÖRT HAT.

ICH BIN
UNTERWEGS
ZU PLUTO.

UND ZWAR
IN ZAANDAM,
EINEM VOR-
ORT VON
AMSTERDAM!

SHFF

SHFF

EINE EINZIGE TULPE...

SHFF

... HATTE ALLE ANDEREN VERWELKEN LASSEN.

DER NAME DIESER BLUME WAR...

DIE STANDING OVATIONS HABEN SIE SICH WIRKLICH VERDIENT, DR. HOFFMANN.

BESONDERS DAS, WAS SIE ÜBER DIE MÖGLICHKEITEN DER FRIEDLICHEN NUTZUNG VON GERONIUM GESAGT HABEN.

VIELEN DANK.

UM SO DANKBARER SIND WIR FÜR IHRE TEILNAHME AN DER EUROPÄISCHEN KONFERENZ FÜR ROBOTIK.

WIR WISSEN, IN WAS FÜR SCHWIERIGKEITEN SIE GERADE STECKEN, DR. HOFFMANN.

JA, DANKE.

DR. HOFFMANN, IHR HUBSCHRAUBER IST DA.

SIE SIND ALSO MIT UNSEREN SICHERHEITSVORKEHRUNGEN ZUFRIEDEN?

ICH BIN NUR FROH, DASS ALLES OHNE ZWISCHENFÄLLE ABGELAUFEN IST.

WIE SIE SEHEN, WERDE ICH VON ZWEI KRÄFTIGEN BODYGUARDS BESCHÜTZT, DIE MICH VON TÜR ZU TÜR BEGLEITEN WERDEN.

NEIN, LASSEN SIE IHN RUHIG NACHSEHEN. MAN KANN GAR NICHT VORSICHTIG GENUG SEIN.

SCHLIESSLICH SIND SIE FÜR DIE ROBOTIK UNVERZICHTBAR, DR. HOFFMANN.

ICH WERDE DEN HELIPORT ÜBERPRÜFEN.

ES GIBT HIER EIGENES WACHPERSONAL.

OH, NICHT NÖTIG.

AH...

PASSEN SIE AUF SICH AUF, DOKTOR.

DANKE FÜR ALLES, MEINE HERREN, ICH VERABSCHIEDE MICH.

DIE IST BEREITS ÜBER-PRÜFT.

ICH... DIE TOI-LETTE...?

NA, DANN WERDE ICH WOHL ALLEIN ZURECHT-KOMMEN.

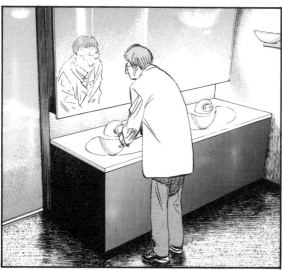

FFFF

KLACK

PUH...

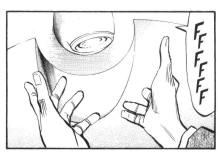

DAS WAR WIRKLICH EINE BEEIN-DRUCKENDE REDE...

BESONDERS BEWEGEND WAREN FÜR MICH IHRE BEMERKUN-GEN ZUR FRIED-LICHEN NUTZUNG VON GERONIUM...

ES IST MIR EINE EHRE, SIE KENNENZU-LERNEN, DR. HOFFMANN.

ENT-SCHUL-DIGEN SIE, ABER WER...?

DOKTOR ABRAH AUS DER REPUBLIK PERSIEN.

Akt 43
Todesnähe

QUIEK

Zaandam,
Niederlande

SSMM

HIER UNTEN BEFINDEN SICH OFFENSICHTLICH NUR DIE ANLAGEN ZUR STROMER- ZEUGUNG.

SSMM

SSMM

KANK

KANK

SIE SIND ZWAR SCHWACH, ABER DIESE ELEKTRO-MAGNETISCHEN WELLEN...

ER IST IN DER NÄHE!!

... SIND IDEN-TISCH MIT DENEN, DIE EPSILON WÄH-REND HERAKLES' KAMPF AUFGE-NOMMEN HAT.

KANK

KANK

KANK

KANK

KANK

KANK

KANK

82

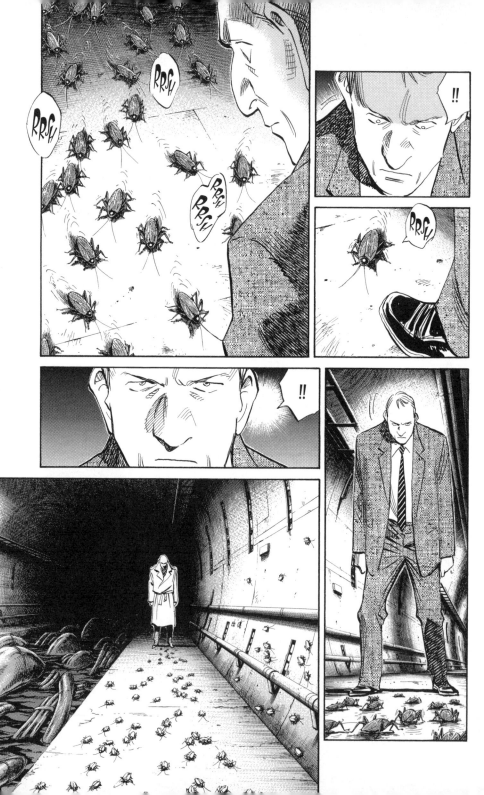

GUAA

WER SIND SIE?

GROAAR

LANGE SCHON WOLLTE ICH MIT IHNEN SPRECHEN...

SCHLIESS-LICH HABEN SIE DEN BE-RÜHMTEN INSPEKTOR GESICHT ER-SCHAFFEN.

DIE FREUDE IST GANZ MEINER-SEITS. WENN ES IRGENDETWAS GIBT, DAS ICH FÜR DEN WIE-DERAUFBAU PERSIENS TUN KANN...

... DÜRFTE GEGEN GESICHT KEINE CHANCE HABEN.

WER IMMER ALL DIE HOCH ENTWICKEL-TEN ROBO-TER ZER-STÖRT HAT...

ICH WÜRDE MIR WÜNSCHEN, DASS DIE IMPORTBE-SCHRÄNKUNGEN FÜR GERONIUM AUFGEHOBEN WÜRDEN.

GERONIUM SOLL DAS BESTE ALLER METALLE SEIN...

SIE SIND SEHR GUT INFOR-MIERT...

MIR IST ZU OHREN GEKOM-MEN, DASS GESICHT DURCH EIN CLUSTER-GESCHOSS BE-SCHÄDIGT WURDE...

RICH-TIG.

DIESER GESICHT HAT WIRKLICH KEINE SCHWÄCHEN, WAS?

N... NUN JA, ÄH...

GLÜCKLICHERWEISE BESTEHT KEIN GRUND ZUR SORGE.

DANN HAT ES ALSO KEINE BESONDEREN AUSWIRKUNGEN AUF IHN GEHABT?

DAS FREUT MICH ZU HÖREN.

DANN MACHT ER WOHL AUCH KEINE FEHLER?

ICH VERSTEHE...

IN JEDEM FALL IST ER MIT EINEM HOCH ENTWICKELTEN MEHRFACH REDUNDANTEN KONTROLLSYSTEM AUSGESTATTET.

NUN GUT, NATÜRLICH HAT AUCH ER...

WENN ER ZUM BEISPIEL...

ICH FRAGE MICH NUR, WAS SIE TUN WÜRDEN, WENN SO EIN HERVORRAGENDER ROBOTER EINEN NICHT WIEDERGUTZUMACHENDEN FEHLER BEGANGEN HÄTTE?

NEIN, ABER ER MACHT SICH GEDANKEN, GENAU WIE WIR.

FEHLER?

ABER DAS KÖNNTE EBENSO GUT EINE STÄRKE WIE EINE SCHWÄCHE SEIN.

DAS MEINTEN SIE WOHL, ALS SIE VON SEINEN DEFIZITEN SPRACHEN?

86

... EINEN MENSCHEN GETÖTET HÄTTE.

WORAUF WOLLEN SIE HINAUS, DOKTOR ABRAH?

GROAH

WER
SIND
SIE?

GUAV

GUAV

SSRRRT

WAS
VERSUCHEN
SIE ZU BE-
SCHÜTZEN?!

... BEI DEM
EIN ROBOTER
EINEN MENSCHEN
ERMORDET HAT.

ES GAB
DOCH EINEN
FALL IN DER
VERGANGEN-
HEIT...

...

BRAU 1589...

... GLEICHEN LOGIK GEFOLGT, AUS DER HERAUS MENSCHEN MENSCHEN TÖTEN.

ANSCHEINEND HAT ER SEINE TAT ALS EXEKUTION BEZEICHNET. SEIN TUN WAR DER ...

... NACHDEM SIE UND DIE ANDEREN MITGLIEDER DER BORA-KOMMISSION IN UNSER LAND EINGEDRUNGEN SIND?

IST DAS NICHT VERGLEICHBAR MIT DEM, WAS DIE WELT PERSIEN ANGETAN HAT...

WORAUF GENAU WOLLEN SIE DAMIT HINAUS?

DENN DANK DESSEN HAT IN PERSIEN SCHLIESS-LICH DIE DEMO-KRATIE WURZELN GESCHLAGEN.

...

NEIN...

ENT-SCHULDIGEN SIE. ICH BIN ZU WEIT GE-GANGEN.

VER-GEBEN SIE MIR, DAVON ANGEFAN-GEN ZU HABEN.

ICH KANN VERSTE-HEN, WIE SIE SICH FÜHLEN MÜSSEN.

... MEINE ICH, ER HÄTTE ES VERDIENT, HINGERICHTET ZU WERDEN.

ANGENOMMEN, EIN ROBOTER HÄTTE EINEN MENSCHEN ER-MORDET...

SO ETWAS WÜRDE NIE PASSIEREN.

... WAS WÜRDEN SIE UND IHRE LEUTE DANN TUN?

IM UN-WAHRSCHEIN-LICHEN FALL, DASS GESICHT JE SO ETWAS GETAN HABEN SOLLTE...

ODER IHRE BEHÖRDE WÜRDE SEIN GEDÄCHTNIS LÖSCHEN, BEVOR ES SO WEIT KÄME.

VIELLEICHT WÜRDE EIN SO HOCH ENT-WICKELTER ROBOTER WIE GESICHT SOGAR SELBSTMORD BE-GEHEN.

UN-SINN!

HABEN SIE SEINE KÜNST-LICHE INTEL-LIGENZ...?

HABEN SIE ETWAS MIT GESICHT GEMACHT?

!!

KÜMMERN SIE SICH UM SEINE WARTUNG, DR. HOFFMANN, DAS IST IHRE AUFGABE. MEHR WIRD NICHT VON IHNEN ER-WARTET.

WAS HABEN SIE MIT GESICHT GEMACHT?!

HERR DIREKTOR!!

DARUM BENEIDE ICH SIE.

DIE ER-INNERUNGEN VON ROBO-TERN KANN MAN LÖ-SCHEN...

...

BOOM

ICH WÜNSCHTE, DAS GINGE BEI MIR AUCH.

Gesicht!!

SIE MÜS-
SEN IHN
SOFORT
FESTNEH-
MEN!

Er hält sich in
Düsseldorf auf!
Er nimmt dort an
der Europäischen
Konferenz für
Robotik teil!

JA, ICH
KANN SIE
HÖREN.

Hier ist das
Hauptquartier
von Europol.
Können Sie
mich hören?!

WAS?!

Wir wis-
sen, wo
Abrah ist!

WAS
SAGEN
SIE DA?!

Das war
noch nicht alles.
Doktor Hoffmann
nimmt ebenfalls an
dieser Konferenz teil!

WAS?!

DOKTOR HOFFMANN IST AUCH DORT?

SOLLEN WIR DANN GEHEN?

SICHER ...

ENT-SCHULDI-GEN SIE ...

NEIN ...

VVRRR

IST ETWAS NICHT IN ORD-NUNG?

PSSSSH

ES IST DAS-SELBE...

FWSSSH

?

WAS?

WAS DIE WELT PERSIEN ANGETAN HAT.

DARAUF STEHT DIE TODES-STRAFE.

DIE TODES-STRAFE!

ICH MACHE MICH SO-FORT AUF DEN WEG!

STELLEN SIE SICHER, DASS DR. HOFFMANN NICHT IN GE-FAHR IST!

EUROPOL! WIR WERDEN DIESES GE-BÄUDE JETZT ABRIEGELN!

W...WAS IST HIER EIGENT-LICH LOS ?!

Europäisches Wissenschaftsforum, Düsseldorf

SEHEN SIE SICH DIE ÜBER-TRAGUNG AUS DEM FAHRSTUHL AN!

WAS?

NIEMAND BETRITT ODER VER-LÄSST DAS GEBÄUDE!

ÄH, AUF DEM ÜBERWA-CHUNGS-MONITOR ...

JEDER BLEIBT AN SEINEM PLATZ, BIS WEITERE ANWEISUNGEN ERFOLGEN!

DAS IST...

... DOKTOR HOFFMANN!!

ALLE ANDEREN FAHRSTÜHLE SIND AUSSER BETRIEB!

SEHEN SIE ZU, DASS SIE DA HOCHKOMMEN!!

DER FAHRSTUHL IST UNTERWEGS IN DIE OBERSTE ETAGE ZUM HELIPORT!

W...WAS ZUM TEUFEL IST DAS?!

HAT
VIELLEICHT
ETWAS BESITZ
VON IHRER KI
ERGRIFFEN?

... SIND
NICHT MEIN
BODYGUARD,
ODER?

S...
SIE...

VRRR

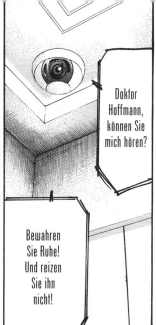

Doktor Hoffmann, können Sie mich hören?

Bewahren Sie Ruhe! Und reizen Sie ihn nicht!

... ER-MOR-DET?

HABEN SIE EINEN WISSEN-SCHAFTLER NACH DEM ANDEREN...

KATSHAK

VRRRRR

... MÜSSEN EXEKUTIERT WERDEN.

SIE...

SCHSCH

BRZZZZ

DOKTOR HOFFMAN WURDE ENTFÜHRT!

HÖREN SIE MICH, GE-SICHT?!

BRZZZZ

Ge-sicht!

NUR...

ICH HÖRE SIE. ICH BIN BEI IHNEN, SO SCHNELL ICH KANN...

Ge-sicht!

... STEHE ICH GE-RADE DIREKT VOR...

GRABB

... WAS UNSERE KOMMISSI-ON PERSIEN ANGETAN HAT?

I...IST DAS DIE RACHE FÜR DAS ...

UH... URGH...

PSHSSSH

SHSSSH

R

DING

DOMM DOMM

AUF-MACHEN! ÖFFNEN SIE DIE TÜR!!

A...ABER WAS BRINGT ES, M...MICH ZU TÖTEN?

I...ICH FÜHLE JA V...VERANT-WORTUNG FÜR...

ICH ÖFFNE JETZT DIE TÜR, DOKTOR HOFFMANN!!

E...ER IST DOCH IHR KOMPLIZE, O...ODER?

D...DAS IST IHR PARTNER, D...DER AUF DEM HELIPORT GEWARTET HAT...

SCHNELL, DOKTOR, LAUFEN SIE!

KABOOM

KASAH

KANK

SAK
HANK

BAAAMM

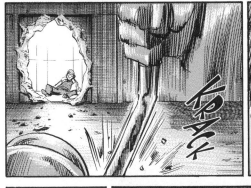

KRACK

KYAAH!!

HÖR-
NER
...?

PSHSSH

SHSSH

WER...
ODER WAS
SIND SIE?

PSSSH

PSSSH

SO
WOLLEN
SIE MICH
ALSO UM-
BRINGEN?

WA...?

BORA
...

BORA...

KASHANK

KASHANK

UAAH! WO KOMMEN DENN DIE GAN-ZEN KAKERLA-KEN HER?

HIER TRUPP A, WIR SIND GLEICH AUF DEM HELIPORT!

DADAPP

ZIEL-OBJEKT GESICHTET!

SO LÄSST SICH KEIN GEZIELTER SCHUSS ABGEBEN!

ER HAT HOFFMANN IN SEINER GEWALT UND BEWEGT SICH MIT IHM FORT...

WAS?

Egal!

A... ABER WAS IST MIT DOKTOR HOFF-MANN?

SCHIES-SEN SIE TROTZ-DEM!

110

WAS IST
MIT DEM
DOKTOR
?

14

GEHT
ES IHM
GUT?

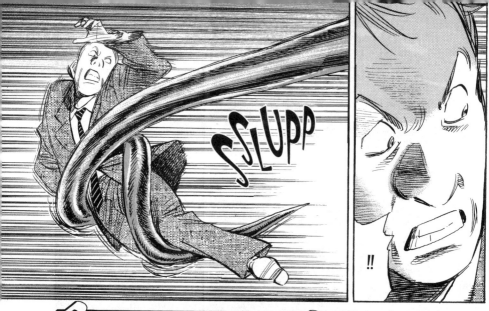

SSLUPP

!!

BRZZ BRZZ BRZZZ

BRZZ BRZZZ

SLUPP

MEIN KÖRPER
BESTEHT AUS GE-
RONIUM. WÄRME-
STRAHLUNG UND
MAGNETFELDER
WIRKEN BEI
MIR NICHT!!

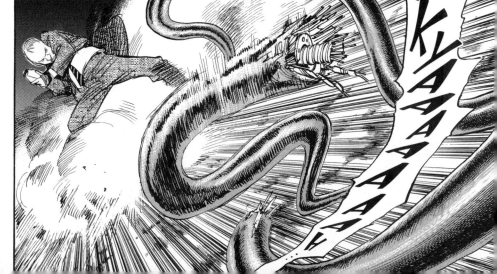

TSUKA...

KEINE BE-
WEGUNG,
ODER ICH
SCHIESSE
!!

KYAAAAAH

DOGOONG

BLEIB
STE-
HEN!!

KYAAAAAH

SEINE KAMPF-
KRAFT IST VON
1.200.000 AUF
5.800 GE-
SUNKEN!!

ICH HABE DAS SUBJEKT. WIE GEHT ES DR. HOFFMANN?!

GESICHT HIER.

SIEHT AUS, ALS HÄTTE ER SICH SELBST BEGRABEN...

GESICHT, SIE HABEN MEINE ERLAUBNIS. VERNICHTEN SIE DAS SUBJEKT.

ÄH, JA... ALLES IN ORDNUNG.

GEHT ES IHM GUT?!

117

SIR, WAS SOLLEN WIR TUN?!

...

SCHIESSEN SIE!! DAMIT IST DER FALL EIN FÜR ALLE MAL ERLEDIGT!!

WAS ZUM...?!

?!

EINE WÜSTE?!

DOOM

HYUUUU

UÄÄHN!!

UÄÄHN!!

NEIN!!

UÄÄHN!!

SOLCHE BILDER MACHEN KEINEN EINDRUCK AUF MEINE KÜNST-LICHE INTELLI-GENZ!!

EINE BLUMEN-WIESE...?

PLUTO!!

DU BIST NICHT PLUTO!!

DEIN NAME IST SAHAD!!

Akt 45
Verhandlung und
Kompensation

JA, DU
BIST...

... SAHAD.

SAHAD.

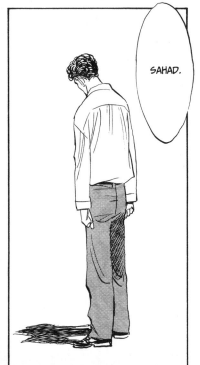

126

SAHAD!

VATER...

VATER! DU LEBST?

VATER ...?

ABER ICH HABE ALLES VERLOREN.

JA, ICH LEBE.

ICH BIN SO GLÜCKLICH!

ICH WURDE BENACHRICHTIGT, DASS DU BEI EINEM LUFTANGRIFF UMS LEBEN GEKOMMEN SEIST. DAS IST WUNDERVOLL...

...

... DASS ICH FAST MEINEN GESAMTEN BIOLOGISCHEN KÖRPER EINGEBÜSST HABE.

DU ALS ROBOTER HAST BESTIMMT BEMERKT...

... MEINER TOCHTER LOLA UND MURATS, DEINES GROSSEN ROBOTERBRUDERS.

ABER WEIT SCHLIMMER WIEGT FÜR MICH DER VERLUST MEINER FRAU FATIMA...

SIE HABEN MIR DAS GE-NOMMEN, WAS MIR AM MEISTEN AUF DER WELT BEDEUTET HAT – MEINE FAMILIE!

NUR DU...

VATER ...

MEIN KOSTBARS-TES! MEINE EXISTENZ...

... BIST MIR GE-BLIEBEN.

DU VER-STEHST, WAS ICH FÜHLE.

DU VER-STEHST, NICHT WAHR?

NUR DU, SAHAD, NUR DU ...

HASS...

DU MUSST UNSERE HEIMAT BESCHÜT-ZEN.

ICH HABE EINE BITTE AN DICH.

DU MUSST VER-HINDERN, DASS NOCH MEHR UN-SERER LANDS-LEUTE SOLCHE TRAUER ER-FAHREN MÜSSEN WIE ICH.

DU MUSST DAFÜR SORGEN, DASS NICHT NOCH MEHR UNSERER LANDSLEUTE UMGEBRACHT WERDEN.

DU MUSST VERGELTUNG ÜBEN.

SO WIRD DER HASS NIE ENDEN ...

RICH-TIG.

ABER VATER! DIESER KRIEG IST BALD VORBEI!!

UND VERGELTUNG FÜHRT IMMER ZU NEUER VERGELTUNG!!

...

DER HASS...

... WIRD NIE VERGEHEN...

... DEM UNBESIEGBAREN KÖRPER ZUR VERFÜGUNG STELLST.

ICH MÖCHTE, DASS DU DEIN ELEKTRONENHIRN...

KR.REEK

DEM UNBESIEGBAREN KÖRPER?

WAS...

WAS
IST DAS?

ICH...

SAHAD
...

ICH
LIEBE
DICH.

PIEP
KSHUK

PIEP
KSHUK

PIEP
KSHUK

Ich...
liebe...
Dich...

VATER
...

134

ICH ERTEILE IHNEN MEINE ERLAUBNIS. ZERSTÖREN SIE IHN!

WORAUF WARTEN SIE? SCHIESSEN SIE END- LICH!

Los, schießen Sie!!

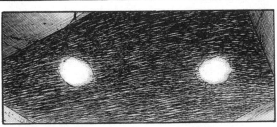

W... WIE BITTE?!

NEIN.

ICH BIN NICHT DARAUF PROGRAMMIERT, EINEN ROBOTER ZU ZERSTÖREN, DER NICHT DIE ABSICHT HAT MICH ANZUGREIFEN.

DAS WERDE ICH NICHT TUN.

WAS ZUM T...?

WENN SIE IHN ZERSTÖREN, IST DIESER FALL GELÖST. SCHIESSEN SIE! DAS IST EIN BEFEHL!!

HÖREN SIE MIR GUT ZU, GESICHT!!

SIE WERDEN SICH VOR EINEM DIS-ZIPLINAR-AUSSCHUSS VERANTWOR-TEN MÜSSEN, GESICHT!

Ä... ÄHM...

RÄUSPER

NACH DEM, WAS SIE IN DER VER-GANGEN-HEIT...

WAS ER-LAUBEN SIE SICH, GE-SICHT?!

?

...

GE-
SICHT
!!

ICH
SAGTE
BEREITS,
DASS ICH
DAS NICHT
TUN WERDE.

Ich befehle
Ihnen erneut,
das Zielobjekt
jetzt zu zer-
stören!

STEHT ES
MIR FREI,
MEINEN
DIENST
ZU QUIT-
TIEREN?

HAUPT-
KOM-
MISSAR
BECKER
...

... WÜRDE ICH
JETZT GERN
DEN URLAUB
NEHMEN, DER
MIR AUS DEM
LETZTEN
JAHR NOCH
ZUSTEHT.

GUT,
DANN...

WIE
BITTE
?!

NATÜRLICH
HABEN SIE DIE-
SE WAHL NICHT,
SCHLIESSLICH
SIND SIE ALS
ROBOTER-
INSPEKTOR
ENTWICKELT
WORDEN!!

WAS FÜR
EINE DUMME
FRAGE, GE-
SICHT!!

138

... BIN ER-SCHÖPFT.

ICH...

WIE BITTE?

PSHSSH

PSHSSH

DIR GEHT ES WOHL AUCH SO.

UH...

Ist er wohl-auf?!

WIE GEHT ES DEM DOKTOR?

Gesicht, ich befehle Ihnen erneut: Zerstören Sie unverzüglich das Zielobjekt!

ICH HABE MIR ZUGANG ZUR KAMERA AUF DEM HELIPORT DES WISSENSCHAFTS-FORUMS VER-SCHAFFT.

DER DOKTOR IST SI-CHER...

SIE LÜGEN.

Was ist das für ein Roboter, der Dr. Hoffmann in seiner Ge-walt hat?!!

Was ist das für ein Roboter?!

AH...

ÄH... NUN JA...

KOMMISSAR BECKER, WIE KÖNNEN SIE MIR BEFEHLEN, ZU SCHIESSEN, WENN HOFFMANN SICH IN SO GROSSER GEFAHR BEFINDET?

Gesicht...

?!

...

...

Wir tauschen unsere Gefangenen aus.

WER SPRICHT DA?

Lassen Sie uns einen Deal machen.

WER
SIND SIE?

Lassen Sie
meinen ge-
liebten Pluto
in Ruhe!

Verlassen Sie
den Ort dort,
dann werde ich
Doktor Hoffmann
freilassen.

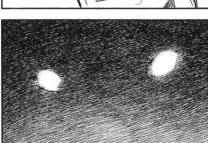

ICH DULDE
KEIN EIGEN-
MÄCHTIGES
HANDELN,
GESICHT!

GE-
SICHT
...?!

SSHF

142

GE-
SICHT
...!!

Dafür
werden
Sie streng
bestraft
werden!!

Gesicht!!
Was Sie tun, ver-
stößt gegen Paragraf 1,
Abschnitt 3, und Para-
graf 15, Abschnitt 2
des Robotergesetzes!

GRAAH

GE-
SICHT
!!

KACHONG

AH...?

DOKTOR HOFFMANN IST IN SICHERHEIT!!

HELIPORT HIER!!

DER ROBOTER, DER DEN DOKTOR IN SEINER GEWALT HATTE, IST ZUSAMMENGEBROCHEN!

SHUKK

IIH!!

SHUKK

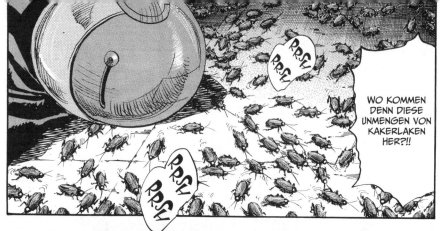

WO KOMMEN
DENN DIESE
UNMENGEN VON
KAKERLAKEN
HER?!!

ER
LIEBT
DICH
NICHT.

DEIN
VATER
...

SAHAD...

WEINST DU ETWA?

AKT 46 DAS ENDE DES TRAUMS

Düsseldorf

GESICHT?

UND DU?

JA, ABER ICH WOLLTE GLEICH SCHLUSS MACHEN.

HELENE... DU ARBEITEST NOCH?

MEINE ARBEIT...

... IST ERLEDIGT.

Akt 46
Das Ende des Traums

ABER BE-
STIMMT WIRST
DU SOFORT
WIEDER DEN
NÄCHSTEN FALL
ÜBERNEHMEN.

NEIN,
WERDE
ICH NICHT.

WIRK-
LICH?

JA,
WIRK-
LICH.

WIR
HABEN
JEDE
MENGE
ZEIT.

DIESMAL
FAHREN WIR
WIRKLICH
NACH JAPAN.

DAS HÖRT
SICH FAST
SO AN, ALS
HÄTTEST DU
DEN DIENST
QUITTIERT.

... UM EIN
KIND BE-
WERBEN?

WOLLEN
WIR UNS
NICHT...

DAS HABEN WIR DOCH SCHON EINMAL VERSUCHT...

JA, ABER DAMALS GAB ES KEINE KINDERMODELLE, DIE ZU UNS GEPASST HÄTTEN.

ICH BIN NICHT SICHER, OB ICH EINE GUTE MUTTER WÄRE.

DIE ROBOTIK HAT FORTSCHRITTE GEMACHT, UND AUCH DIE REGELN SIND LOCKERER GEWORDEN.

INZWISCHEN IST DAS ANDERS.

NICHTS, ES IST NICHTS.

NATÜRLICH WÄRST DU DAS.

ABER SICHER!

WAS IST?

150

SCHLIESS-LICH HABE ICH DICH, MEIN LIEBER.

... WÄRST DU NICHT SO EINSAM, WENN WIR EIN KIND HÄTTEN.

AUSSER-DEM ...

ABER ICH BIN DOCH NICHT EINSAM.

JA, KOMM SCHNELL ZURÜCK!

LASS UNS WEITERRE-DEN, WENN ICH WIEDER ZU HAUSE BIN.

DAS WERDE ICH...

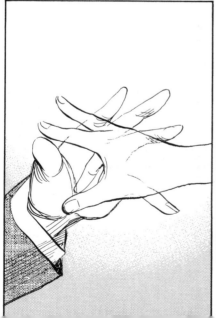

WUPP WUPP

Geht es Ihnen gut, Doktor Hoff-mann?

Doktor ...

ICH SORGE MICH MEHR UM SIE.

EIN HUB-SCHRAUBER BRINGT MICH GERADE INS KRANKENHAUS. MACHEN SIE SICH KEINE SORGEN UM MICH.

JA, GESICHT, ES GEHT MIR GUT.

Ich bin unbeschädigt.

Ja, seine Festnahme ist nur noch eine Frage der Zeit.

UND DAS MONSTER?

ABER DAS MÜSSEN SIE NICHT PERSÖNLICH TUN. IHR KÖRPER IST NICHT IM BESTEN ZUSTAND.

ICH HÖRTE, SIE HABEN ES IN DIE ENGE GETRIEBEN...

ES IST, WIE SIE GESAGT HABEN...

JEDENFALLS WISSEN WIR JETZT, WER HINTER DER SACHE STECKT.

Ja...

7

... STAND UNTER ABRAHS KONTROLLE.

JA. DER BODYGUARD, DER MICH ANGEGRIFFEN HAT...

Abrah...

Was mich allerdings beschäftigt, ist Dr. Ochanomizus Aussage...

...

HINTER ALLEM STECKT ABRAH ...

Ja, Doktor.

ACH, DARUM SOLL SICH JEMAND ANDERS KÜMMERN. RUHEN SIE SICH LIEBER AUS.

... dass der Täter Dr. Goji sei.

... ABRAH...

GOJI UND...

Doktor...

HM?

AUCH AUF
DIE GEFAHR HIN,
IHNEN AUF DIE
NERVEN ZU GEHEN...
ABER DURCH DAS
CLUSTER-GESCHOSS
LEIDET IHR KÖRPER
UNTER MATERIAL-
ERMÜDUNG.

WENN
ER NOCH
EINMAL
SO EINEM
SCHOCK
AUSGE-
SETZT
WIRD...

HM?

Es geht
um den Traum,
über den ich so
oft mit Ihnen ge-
sprochen habe.

UND
WIESO
NICHT?

...

Vielleicht
werde ich diesen
Traum nie wieder
träumen.

Es ist
nur so
ein Ge-
fühl.

Ich
bin nicht
sicher...

Ich denke, ich habe herausgefunden, was er zu bedeuten hat.

WARTEN SIE, GE-SICHT!

... DAS IHRE ERINNERUNGEN...?

SIE MEINEN DOCH NICHT ETWA ...

Auf Wiedersehen.

Trupp D meldet sich aus der landwirtschaftlichen Forschungseinrichtung in Zaandam!

Gesicht ...

Wir sind soeben eingetroffen und rücken jetzt in die unterirdischen Räume vor.

Gleich werden wir die Stelle erreichen, wo Inspektor Gesicht das Zielobjekt in die Enge getrieben hat.

SNIKF

SNIKF

SNIKF

Hier Trupp F. Wir sind dabei, das Untergeschoss zu durchsuchen.

TSCHACK

TSCHACK

TSCHACK

TSCHACK

Wir sind da!!

ICH WIEDERHOLE, ZERSTÖREN SIE ES, SO- BALD SIE ES SEHEN!!

AH...

OH, HERR DIREK- TOR!

WO IST GE- SICHT?!

KLACK

KLACK

Und zer- stören Sie es, sobald Sie es sehen!

Die Kampfkraft des Zielobjekts hat zwar auffallend ab- genommen, bleiben Sie aber trotzdem auf der Hut.

SWAK

SCT

ICH HABE DEN BE-RICHT GE-HÖRT...

STELLEN SIE MIR EINE VERBINDUNG ZU IHM HER!

ER IST AUF DEM WEG NACH AMS-TERDEM.

NEIN, JETZT!

J...JA, SOBALD DER EINSATZ IN ZAANDAM BEENDET IST.

Was soll dieses eigenmächtige Handeln?

Gesicht!!

Von Kommissar Becker habe ich gehört...

Gesicht!!

Und weil das unmöglich ist, wollen Sie jetzt ersatzweise einen langen Urlaub nehmen?!

... DASS SIE NICHT NUR SEINEN BEFEHL VERWEIGERT, SONDERN AUCH NOCH UM IHRE ENTLASSUNG AUS DEM DIENST GE-BETEN HABEN.

Ihre KI hat eine Fehl-funktion.

Ich gestatte weder das eine noch das andere.

Haben Sie verstanden, Gesicht?!!

Und dann werden Sie dem Diszipli-narausschuss Rede und Ant-wort stehen.

Lassen Sie sich umgehend warten.

WARUM HABEN SIE MICH NICHT VOR GERICHT GESTELLT?

ES GIBT DA ETWAS, WAS ICH VOR-HER NOCH ERLEDIGEN MUSS.

Was?

160

...

ICH MÖCHTE MEIN VERBRECHEN GESTEHEN.

GESICHT...

...

ICH VER-DIENE DIE TODESSTRAFE FÜR DAS VER-BRECHEN, DAS ICH BEGANGEN HABE!

WARUM HABEN SIE MICH DAMALS NICHT VOR GERICHT GE-STELLT?

...

WARUM
...

WARUM
HABEN SIE
MEINE ERIN-
NERUNGEN
GELÖSCHT?

... AN MEIN
GELIEBTES
KIND.

HÖREN
SIE, GE-
SICHT...

SOGAR
DIE ER-
INNERUN-
GEN...

Gesicht!!

...

N...
NUN,
DAS
...

HALTEN SIE
DIE VERBIN-
DUNG, GE-
SICHT!

Gesicht!!

Amsterdam

HALLO, HERR GE- SICHT.

JA! ABER DAS IST MEINE LETZTE AUSLIEFE- RUNG FÜR HEUTE.

DU BIST WIRKLICH SEHR FLEISSIG, ANTON, DASS DU UM DIESE ZEIT NOCH ARBEITEST...

HALLO ...

FÜR MEINE FRAU ...

ABER NATÜRLICH. FÜR WEN SOLL ER SEIN?

VER- KAUFEN SIE MIR EINEN BLUMEN- STRAUSS?

IHRE FRAU IST ZU BE- NEIDEN.

SAHAD LEBT.

ER IST AM LEBEN, WISSEN SIE...

HAT ER ETWAS SCHLIMMES GETAN?

W... WIRK- LICH?

ER IST NICHT SCHLECHT ...

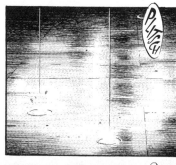

PLITSCH

ES IST NICHT SEINE SCHULD...

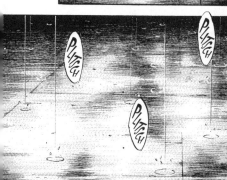

PLITSCH

PLITSCH

WAS MACHEN
SIE DENN DA, JAN?
SIE WERDEN SICH
IN DIESEM REGEN
NOCH EINE ERKÄL-
TUNG HOLEN.

... IST
GERADE
GANZ PLÖTZ-
LICH ANGE-
SCHWOLLEN.

DAS
WASSER
IN DER
GRACHT
...

HM? ACH,
DU BIST'S,
ANTON.

?

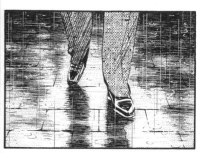

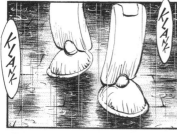

JETZT BEGEGNEN WIR UNS SCHON WIEDER, ANTON.

DU BIST DOCH ...

... ALI VOM BAZAR IN PERSIEN?

KALANK

KACHANK

KACHANK

WAS MACHST DU DENN IN AMSTER- DAM?

!!

KACHANK

SIEH! ER LÄUFT ...

SIEH DOCH, GESICHT ...

ER LÄUFT ...

ICH LASS IHN IHNEN FÜR 500 ZEUS.

DU...

ALI...

FSSHH

WAS HAST DU DENN, ALI?

WIR HABEN UNS SEIT DEM MARKT IN SAMARKAND NICHT MEHR GESEHEN.

DU BRAUCHST KEINE ANGST ZU HABEN.

WAS IST LOS? KOMM HER.

ES IST GEFÄHRLICH HIER. KOMM LIEBER ZU MIR ...

HAST DU DEN SCHUSS GERADE AUCH GEHÖRT?

KLONK

ICH HATTE EINMAL EIN KIND WIE DICH ...

!!

172

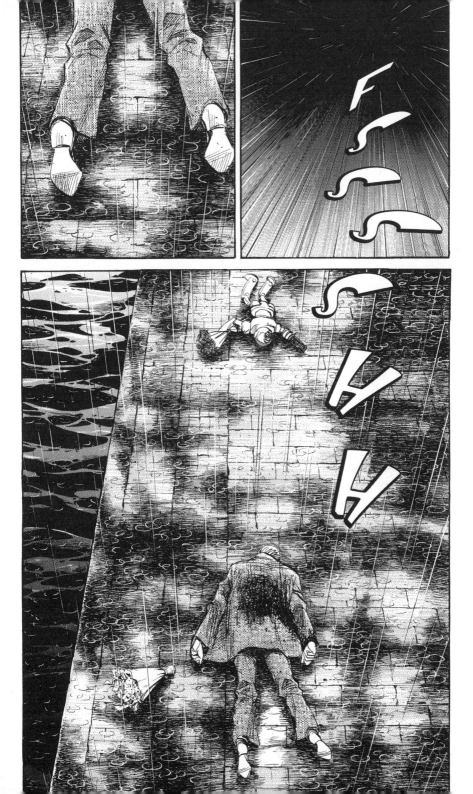

Gestern Abend wurde in der Altstadt von Amsterdam...

Akt 47
Echte Tränen

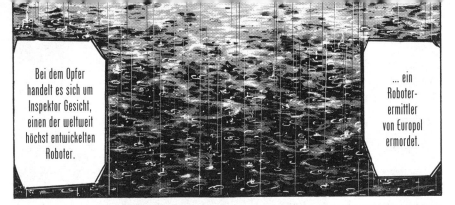

Bei dem Opfer handelt es sich um Inspektor Gesicht, einen der weltweit höchst entwickelten Roboter.

... ein Roboterermittler von Europol ermordet.

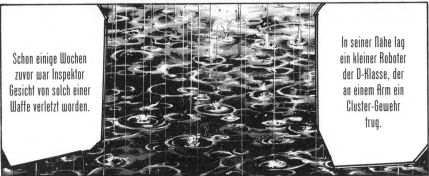

Schon einige Wochen zuvor war Inspektor Gesicht von solch einer Waffe verletzt worden.

In seiner Nähe lag ein kleiner Roboter der D-Klasse, der an einem Arm ein Cluster-Gewehr trug.

Man geht davon aus, das sein Körper, der aus dem stabilsten Material Geronium bestand, unter erheblicher Materialermüdung litt.

Außerdem war er ein paar Stunden vor seinem Tod wieder in einen heftigen Kampf verwickelt.

Ich
wieder-
hole...

Gestern
Abend wurde
Inspektor
Gesicht von
Europol...

Zwei Monate später,
Internationaler
Flughafen Tokyo

JA, SEIT DER UNTER-SUCHUNGS-KOMMISSION NICHT MEHR, DOKTOR OCHANOMIZU.

WIR HABEN UNS LANGE NICHT GESEHEN, DOKTOR HOFFMANN.

WILL-KOM-MEN IN JAPAN!

DARF ICH VOR-STELLEN?

AH...

WENN ES ETWAS GIBT, DASS ICH FÜR SIE TUN KANN ...

SIE HABEN MEIN HERZLICHSTES BEILEID.

HALLO, ICH BIN HELENE, GESICHTS FRAU.

GESICHT HATTE SICH SO DARAUF GEFREUT, ZUSAMMEN MIT MIR URLAUB IN JAPAN ZU MACHEN.

DANKE... ICH BIN IHNEN WIRKLICH SEHR DANKBAR FÜR DIE EINLADUNG.

...

AM TAG, ALS ER GESTORBEN IST, HATTE ER DIE REISE RESERVIERT.

MINISTER, WIR SOLLTEN LIEBER SCHNELL GEHEN, BEVOR DIE MEDIEN WIND VON DER SACHE BEKOMMEN.

J... JA, SIE HABEN RECHT.

SIE HÄLT SICH DIE GANZE ZEIT SO TAPFER.

JA. ABER EUROPOL TUT SICH SCHWER, ZU EINEM ABSCHLIESSENDEN ERGEBNIS ZU KOMMEN.

GESICHT IST ALSO AUCH EIN OPFER DER SERIENZERSTÖRUNG VON ROBOTERN GEWORDEN.

JA?

DOKTOR OCHANOMIZU...

AUCH UNSERE LEBEN SIND VIELLEICHT NOCH IN GEFAHR.

DASS DIE LUFT IN JAPAN LEICHTE SPUREN VON SOJASOSSE ENTHÄLT.

ES IST, WIE GESICHT GESAGT HAT...

WAS HAT ER DENN GESAGT?

SIE BE-
MÜHT SICH
WIRKLICH SO
ZU TUN, ALS
HÄTTE SIE
SPASS.

ROBOTER
VERGESSEN NIE,
SOLANGE MAN
DIE ERINNE-
RUNGEN NICHT
AUS IHRER
KI LÖSCHT.

JA...

WAS
FÜR EIN
AUSSER-
ORDENT-
LICH KULTI-
VIERTES
VERHAL-
TEN.

INNER-
HALB DER
GRENZEN DES
ROBOTER-
GESETZES,
WILL ICH
HOFFEN.

NEIN, WAS
SIE GETAN
HABEN, WAR
ILLEGAL.

OFFEN-
SICHTLICH
HAT EUROPOL
GESICHTS ER-
INNERUNGEN
IRGENDWIE
MANIPULIERT.

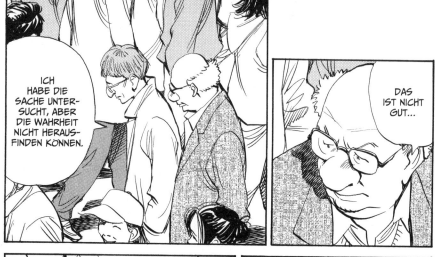

ICH HABE DIE SACHE UNTERSUCHT, ABER DIE WAHRHEIT NICHT HERAUSFINDEN KÖNNEN.

DAS IST NICHT GUT...

...

DASS MENSCHEN ZU IHREM EIGENEN VORTEIL DIE ERINNERUNGEN VON ROBOTERN MANIPULIEREN, IST UNVERZEIHLICH!

ABER MOMENTAN...

ICH HABE SIE SOGAR GEFRAGT...

... WÜRDE ICH GERN EINIGE IHRER ERINNERUNGEN LÖSCHEN.

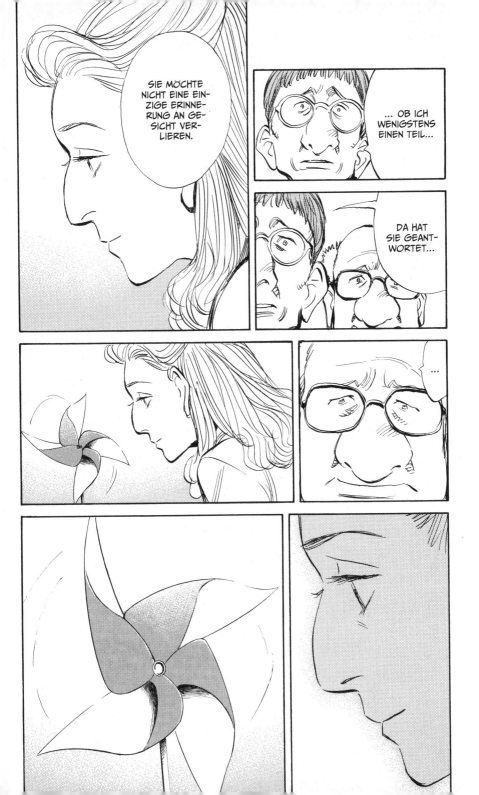

SIE WOHNEN IM AHORNZIMMER, HERR HOFFMANN.

DAS ZIMMER HATTE GESICHT AUCH RESERVIERT.

UND SIE, FRAU HELENE, IM KIEFERNZIMMER.

JA, DANKE.

KOMMEN SIE ALLEIN ZURECHT?

185

ES IST
GLEICH
HIER UM
DIE ECKE
...

VON
HIER AN
FINDE ICH
DEN WEG.

WIE
SIE
WÜN-
SCHEN
...

DR. TENMA, NICHT WAHR?

DAS IST RICHTIG.

JA...

HABEN SIE IHN DABEI?

ABER NATÜR-LICH.

WIRD DIESER CHIP BEI DER ERGREIFUNG DES TÄTERS HELFEN?

WAS HABEN SIE DENN?

ICH KANN SIE EINFACH NICHT VER-ARBEITEN.

... TRAUER. DIESE GEWAL-TIGE...

WAS?

... WERDEN IMMER KLARER UND KLARER.

DIE ER-INNERUN-GEN AN GESICHT ...

HELENE ...

WAS SOLL ICH NUR TUN?

VER-
SUCHEN
SIE ZU
WEINEN.

WIR
MENSCHEN
TUN DAS IN
SO EINER
SITUATION.

JA,
GUT.

ES MACHT NICHTS, WENN IHRE TRÄNEN ZU ANFANG NICHT ECHT SIND.

SO IST ES GUT.

AH...

AH...

AAAAH

BALD SCHON
WERDEN AUS
DEN FALSCHEN
ECHTE TRÄNEN
WERDEN.

JA,
HELENE,
LASSEN SIE
IHREN GE-
FÜHLEN
FREIEN
LAUF.

DANN WERDEN SIE WIRKLICH WEINEN KÖNNEN, WIE ICH.

DAS HIER SIND ECHTE TRÄNEN.

ICH TRAUERE AUCH, DENN ATOM IST TOT.

Fortsetzung in Band 7

Nachwort

»PLUTO« aus der Sicht eines Generationsgenossen
von Gorot Yamada, Kritiker

Immer und überall das Generationenthema diskutieren zu wollen ist sicher eine schlechte Angewohnheit von alten Knackern wie mir, die in der Showa-Ära (1926-1989) geboren wurden – aber ohne das geht es einfach nicht, wenn man über »PLUTO« spricht. Denn das Unterfangen des 1960 geborenen Mangaka Naoki Urasawa, »DER GRÖSSTE ROBOTER AUF ERDEN« in einer zeitgemäßen Form wiederauferstehen zu lassen, hat für die Angehörigen derselben Generation – zu der auch ich, Jahrgang 1958, gehöre – die also in der Hochphase als »20th CENTURY BOYS« aufwuchsen und inzwischen zu »Männern mittleren Alters des 21. Jahrhunderts« heruntergekommen sind, eine besondere Bedeutung.

Unter allen Geschichten des seit 1951 über 18 Jahre hinweg veröffentlichten »ASTRO BOY« war »DER GRÖSSTE ROBOTER AUF ERDEN« die beliebteste. Sie stammt aus der Zeit, in der dem »Manga-Gott« Osamu Tezuka nach eigenem Bekunden die Arbeit am meisten Spaß gemacht hat. 1964, als ganz Japan vor Begeisterung für die Tokyoter Olympiade brannte, erschien die Geschichte im Monatsmagazin »SHONEN« unter dem Titel »DER GRÖSSTE ROBOTER ALLER ZEITEN«. Im Jahr darauf wurde sie als Buch bei Kappa Comics veröffentlicht und die Zeichentrick-Version im Fernsehen ausgestrahlt. Dass auch »PLUTO« einmal monatlich erscheint und die Prachtausgaben der Bücher im selben Format herausgegeben werden wie damals bei Kappa Comics, ist vermutlich der Versuch Urasawas und seines Produzenten Takashi Nagasaki (Jahrgang 1956), den Erscheinungsprozess der Vorlage zusammen mit ihren Lesern am eigenen Leib nacherlebbar zu machen.

Wir, die wir dieser berühmten Geschichte begegneten, als wir gerade anfingen, die Welt zu begreifen, wuchsen in der aufregenden Zeit von Atom, Tetsujin 28, Godzilla und Ultraman auf, der Zeit von Shinkansen und Apollo 11, der Baseballspieler O und Nagashima, der Catcher Inoki und Baba, der Zeit der Studentenbewegung und Woodstock. Man kann unsere Generation als eine bezeichnen, die äußerst naiv an Wissenschaft, Helden, Revolution und Rock 'n' Roll glaubte. Doch zeitgleich mit der 1970er Expo in Osaka, die eigentlich den Beginn einer »silbernen Zukunft« (Giniro no mirai, Toshio Okada, Jahrgang 1958) einläuten sollte, platzten unsere glückseligen Träume. Was uns erwartete, als wir gerade in die Pubertät kamen, war die Realität: Wissenschaft verkam zur Umweltverschmutzung, Helden zu Promis, Rock 'n' Roll zu einem Geschäft und die Revolution zu Terrorismus. Die meisten meiner Jahrgangsgenossen erwachten aus ihrem Traum und wurden erwachsen. Die übrigen flohen vor der Wirklichkeit und wurden Otakus.

Als wir dann langsam in die mittleren Jahre kamen und begannen, uns Sorgen zu machen, ob es so weitergehen könne, erschien Urasawas »20th CENTURY BOYS«. Ein Aufruf an uns, die Zukunft, an die wir früher geglaubt hatten, zurückzuholen. So betrachtet, ist es auch nicht verwunderlich, warum er sich als Nächstes an »PLUTO« gewagt hat. Hierbei handelt es sich nicht einfach um die Neuauflage eines berühmten Werks. Ich begreife es vielmehr als ein Manifest, mit dem er die Angehörigen seiner Generation aufruft, es ihm gleichzutun, indem er mit »PLUTO« zum Ausgangspunkt seiner Kindheitsträume zurückkehrt.

Natürlich ist »PLUTO« auch dann interessant, wenn man ihn einfach als Comic liest. Während die in diesen verrückten Fall verwickelten Figuren versuchen, dem Rätsel auf die Spur zu kommen, treten vergessene Erinnerungen zu Tage — bis jeder bemerkt, dass er einen Teil der Verantwortung für die Geschehnisse trägt. Rund um die typische Spannung, die sich seit »MONSTER« und »20th CENTURY BOYS« etabliert hat, erweckt Urasawa die Vorlage zu neuem Leben, indem er Zitate aus »ASTRO BOY« ebenso wie solche aus dem Gesamtwerk Tezukas raffiniert in seinen Manga einwebt. Urasawas Talent, die Tiefe und den Umfang des Seinen-Manga des 21. Jahrhunderts auszunutzen, um das darzustellen, was — dem Format des Shonen-Manga der 60er Jahre geschuldet — nicht ins Original gepasst hätte, ist beeindruckend. Besonders gefällt mir hier die Episode mit North Nr. 2 aus dem ersten Band der Buchausgabe. Man kann wohl behaupten, dass das unerträglich schöne Ende dieser Geschichte, wie es nur Naoki Urasawa hat zeichnen können, als Meisterszene in die Mangahistorie eingehen wird.

Im Gegenzug für diese Ästhetik allerdings fehlen in »PLUTO« die Szenen grausamer Zerstörung, wie man sie in der Vorlage findet. Das gilt auch für Gesichts Tod, der in diesem Band dargestellt wird. In diesem Zusammenhang sei erwähnt, dass auch Urans niedlich-erotischer Auftritt, als sie (nur) mit Atoms Shorts bekleidet gegen Pluto antritt, von Urasawa zu einer durchschnittlich »braven Geschichte« entschärft worden ist (Band 2). Anders gesagt ist »PLUTO« bisher in den Punkten Gewalt und Erotik seichter als das Original. Wenn man »PLUTO« als Urasawas Manifest an seine Generationsgenossen liest, hapert es hier ein wenig.

Gewalt und Erotik werden üblicherweise als Osamu Tezukas »dunkle Seiten« bezeichnet und als Tabu behandelt. Dabei lagen gerade hierin seine Qualitäten als Kinderbuchautor. Ungeschickt eingesetzt sind diese Themenbereiche sicher schädlich für Kinder, doch in den Händen eines fähigen

Autors werden sie zu Impfstoffen, die sie resistent gegen schädliche Einflüsse machen. Tezuka selbst erkannte diese beiden Punkte in der Größe Walt Disneys, den er als Vorbild verehrte, und warnte davor, in billigen Humanismus zu verfallen, nur weil man sich vor Kritik fürchte.*

Ohne Gewalt würde »ASTRO BOY« in sich nicht stimmig sein. Erschaffen als Ersatz für einen verstorbenen Jungen, war Atom von seinem Schöpfer schlecht behandelt worden, bis er zu guter Letzt an einen Zirkus verkauft wurde. Er musste sich abrackern und wurde als »blöder Roboter« diskriminiert. Und obwohl er von den Menschen immer wieder verraten worden war, glaubte er an sie und kämpfte für sie bis zu seinem Ende.

Doch diese geradezu tragische Gewalt war auch die Quelle, aus der Atom seine Hoffnung schöpfte. Am Ende von »DER GRÖSSTE ROBOTER AUF ERDEN« sagt Atom: »Ich wünsche mir, dass jetzt eine Zeit anbricht, in der sich alle Roboter vertragen...« Aus dieser völlig unbegründeten Äußerung schöpften wir Hoffnung, weil uns gerade das ungerechte und grausame Schicksal von Robotern so vor Augen geführt worden war, dass Zorn, Hass und Trauer in uns aufwallten.

Ja, gerade aus extrem negativen Gefühlen kann absolute Hoffnung entstehen. Dessen ist sich auch Urasawa bewusst. »PLUTO« wird im Weiteren, wahrscheinlich nachdem Atom wiederauferstanden sein wird, auf den Augenblick der Wahrheit hinsteuern. Doch wird Urasawa es schaffen, Gewalt darzustellen, die selbst die Tezukas übertrifft, um die Seelen der »Männer mittleren Alters des 21. Jahrhunderts« mithilfe »extremer Emotionen« aus ihrem Schlaf zu erwecken und ihnen in einem Zeitalter, das keine Zukunftsträume mehr hat, die Hoffnung wiederzugeben?

Ich bin davon überzeugt, dass Naoki Urasawa dies gelingen wird. Einen konkreten Grund für meine Annahme habe ich nicht, aber es ist eben, wie auch Tatsuro Yamashita (Jahrgang 1953) singt: »Egal wie erwachsen wir auch werden mögen, wir bleiben doch Atoms Kinder.« Als einer von Urasawas Fans möchte ich ihn aus einer ähnlichen Position wie Konchi aus »20th CENTURY BOYS« heraus unterstützen, so gut ich kann.

* siehe »Walt Disney – Mangaeiga no oja« (Walt Disney – König des Zeichentrickfilms), erschienen in »Asahi Journal«, 15.06.1973

Biografien

Naoki Urasawa

Im Jahr 1982 ereichte er das Finale des *Shogakukan Comic Nachwuchspreises* und debütierte ein Jahr darauf mit »BETA!«. Zu den wichtigsten Veröffentlichungen Urasawas zählen »PINEAPPLE ARMY«, »YAWARA!«, »HAPPY!«, »MONSTER«, »20th CENTURY BOYS« und »PLUTO«. Gegenwärtig veröffentlicht er in Zusammenarbeit mit Takashi Nagasaki die Serie »BILLY BAT«. Die Arbeiten Urasawas sind national und international mehrfach preisgekrönt: Zu seinen Preisen gehören der *Shogakukan Manga Preis*, der *Kodansha Manga Preis* und der *Osamu Tezuka Kulturpreis*. Ebenso erhielt er mehrere Auszeichnungen des Japan Media Arts Festivals und den *Preis des Festival International de la Bande Dessinée d'Angoulême* in der Kategorie *Beste Serie*. Im Jahr 2010 wurden seiner Serie »PLUTO« der *Prix Asie ACBD* und der *Seion Science Fiction Award* verliehen.

Takashi Nagasaki

Bevor er sich als Manga-Produzent selbstständig machte, arbeitete er als Chefredakteur für wöchentlich erscheinende Manga-Magazine. Für »PLUTO« zeichnet er als Produzent wie auch als Koautor verantwortlich. Gemeinsam mit Naoki Urasawa schuf er unter anderem die Serien »MONSTER« und »20th CENTURY BOYS«. Gegenwärtig arbeiten beide an »BILLY BAT«. Als Szenarist hat er an zahlreichen Manga nicht nur unter seinem wirklichen Namen, sondern auch unter Pseudonymen wie Richard Woo oder Garaku Toshusai mitgewirkt.

Macoto Tezka

wurde 1961 als ältester Sohn Osamu Tezukas in Tokyo geboren. Unter der Berufsbezeichnung »Visualist« ist er genreübergreifend in den Bereichen Film, Buch, Eventplanung und Mutimedia aktiv. Für seinen Spielfilm »HAKUCHI« (dt.: Der Idiot) erhielt er 1999 den *Digital Award* der Internationalen Filmfestspiele von Venedig. Des Weiteren führt er Regie bei der Zeichentrickserie »BLACK JACK«, tritt im Fernsehen auf und hält Vorträge.

Osamu Tezuka (1928 - 1989)

wird weltweit als »Urvater des Manga« verehrt und hat wie kein anderer die Entwicklung des japanischen Comics beeinflusst. Zu seinen berühmtesten Serien zählen »ASTRO BOY«, »KIMBA, DER WEISSE LÖWE«, »BLACK JACK« und »ADOLF«. Tezukas Schaffen erstreckt sich über einen Zeitraum von 40 Jahren, seine Werke umfassen insgesamt 150.000 Comicseiten, seine Anime können 60 Abende füllen. Er befreite die japanischen Comics von ihrem Dasein als lustige Kurzgeschichten und begründete den »Story-Manga«. 1994 wurde in seiner Heimatstadt Takarazuka die Tezuka-Osamu-Gedenkhalle eröffnet und in Japan wird er noch heute als »Manga no kamisama – Gott der Manga« bezeichnet.

PLUTO
Naoki Urasawa × Osamu Tezuka
Nach der Geschichte
"Astro Boy – Der größte Roboter auf Erden"
006
Koautor: Takashi Nagasaki
In Kooperation mit Tezuka Productions

CARLSEN COMICS
Carlsen Verlag GmbH · Hamburg 2011
Aus dem Japanischen von Jürgen Seebeck
PLUTO 6
by Naoki URASAWA / Studio Nuts, Osamu TEZUKA,
Takashi NAGASAKI, Tezuka Productions
© 2008 Naoki URASAWA / Studio Nuts,
Takashi NAGASAKI, Tezuka Productions
All rights reserved
Original Japanese Edition published in 2008 by
Shogakukan Inc., Tokyo
German translation rights arranged with Shogakukan Inc.
through The Kashima Agency

Based on "Astro Boy" written by Osamu TEZUKA

Art direction / Kazuo UMINO
Original logo & cover design / Mikiyo KOBAYASHI + Bay Bridge Studio

Redaktion: Petra Lohmann & Maren Neumann
Lettering: Ronny Willisch
Herstellung: Tobias Hametner
Umschlag: Peter Mrozek
Alle deutschen Rechte vorbehalten
ISBN: 978-3-551-71306-3

Wir produzieren
nachhaltig
• Klimaneutrales Produkt
• Papiere aus nachhaltigen
  und kontrollierten Quellen
• Hergestellt in Europa

Carlsen Manga! News jeden Monat neu per E-Mail
www.carlsenmanga.de
www.carlsen.de

Naoki Urasawa
•MONSTER•

Mörderjagd in Deutschland

Der mehrfach prämierte
Manga-Thriller von Max-und-Moritz-
Preisträger Naoki Urasawa!

Düsseldorf 1986... Der brillante Neuro-
chirurg Kenzo Tenma praktiziert an der
Eisler-Klinik und hat eine strahlende
Zukunft vor sich. Über die Entscheidung,
ob er lieber das Leben eines Jungen
oder das des Bürgermeisters retten soll,
verliert er fast alles, was ihm lieb ist: seine
Verlobte, seine Karriere und seinen sozialen
Status und obwohl er die Entscheidung
für richtig hält, fangen für ihn die Probleme
damit erst an! Denn als er es mit den
Unbillen der Krankenhaus-Politik und
Serienmorden zu tun bekommt , wird er in
eine große Verschwörung verstrickt...

MONSTER PERFECT EDITION
Band 1
428 Seiten, 14,5 X 21 cm
€(D) 20,– | €(A) 20,60
IN 9 BÄNDEN ABGESCHLOSSEN

Doppelbände
im **Großformat**
in verbesserter
Bildqualität und mit
neuen Farbseiten

CARLSEN MANGA!

www.carlsenmanga.de

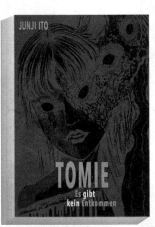

MORIARTY THE PATRIOT

Story von
Ryosuke Takeuchi

Zeichnungen von
Hikaru Miyoshi

DIE GESCHICHTE DES GENIALEN RIVALEN VON SHERLOCK HOLMES

Paperback, sw/vierfarbig, 210 Seiten, 14,5 x 21 cm
€(D) 9,99 | €(A) 10,30

HALT!

Dieser Comic beginnt nicht auf dieser Seite. PLUTO ist ein japanischer Comic, und da in Japan von hinten nach vorn und von rechts nach links gelesen wird, muss auch dieses Buch auf der anderen Seite aufgeschlagen und von hinten nach vorn gelesen werden. Auch die Bilder und Sprechblasen werden von rechts oben nach links unten gelesen — wie die Grafik es hier zeigt.

Wir wünschen spannende Unterhaltung mit PLUTO!